포근한 열한 살

포근한 열한 살

발 행 | 2023년 12월 28일
저 자 | 김시헌 박서영 신서희 심지유 유준희 윤사랑 이민형 이예서 이재인 전현서 정우재
엮은이 | 홍예은
펴낸이 | 한건희
펴낸곳 | 주식회사 부크크
출판사등록 | 2014.07.15.(제2014-16호)
주 소 | 서울특별시 금천구 가산디지털1로 119 SK트윈타워 A동 305호
전 화 | 1670-8316
이메일 | info@bookk.co.kr

ISBN | 979-11-410-6261-3

www.bookk.co.kr

포근한 열한 살

CONTENT

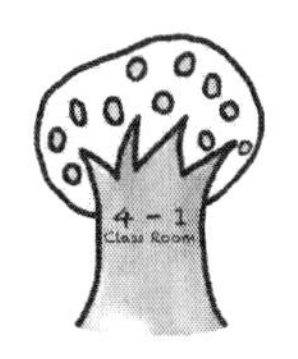
4 - 1
Class Room

여는 글

열한 살의 시선으로 본 세상을 담았습니다.
열한 명의 마음의 역사를 엮었습니다.

우리는 너그러운 마음과 단단한 책임감을 지닌
다정한 존재들입니다.

* 아이들의 손글씨 필체를 폰트로 제작하였어요. 온글잎 사이트에서 무료 다운로드가 가능해요.
** 아이들이 직접 타이핑하여 엮어낸 책이기에 자그마한 실수들이 있어요. 너그러이 보아 주세요.

저자 소개

S	김시헌
C	박서영
A	신서희
M	심지유
E	유준희
Y	윤사랑
B	이민형
L	이예서
J	이재인
H	전현서
K	정우재

일상

학교에서 어버이날을 기념해 꽃바구니를 만들었다. 아버지께 보여드렸더니 예쁘다면서 칭찬해주셨다. 그리고 부엌에있는 식탁에 올려두었다. 근데 다시 볼수록 뭔가 하찮았다. 아빠도 올려두고 한참 웃으셨다. 내가 봐도 웃기다. _c

5월 4일에 선생님께 어린이날 선물을 받았다. 마카롱, 필름 카메라, 오일 파스텔, 네임택을 받았다. 마카롱은 집에서 맛있게 먹었고, 네임택은 내 가방에 예쁘게 달았다. 필름 카메라로는 예쁜 사진을 많이 찍을 거다. 그리고 오일 파스텔로는 예쁜 그림을 많이 그릴 거다. 선생님이 예쁘고 활용적인 선물을 주셔서 감사하다는 생각이 들었다. _y

필름 카메라를 얻어서 기분이 무척 좋았다. 필름카메라를 아버지께 보여 드렸더니 고맙다고 가져가서 당황했다. 필름 카메라가 너무 아까워서 못 쓰겠다. _c

나 진짜 망했다.

어제 독감 예방주사랑 다른 예방주사를 맞았는데 아직도 왼팔이 얼얼하다. 분명히 맞고 20~30분 동안은 안 아팠는데 저녁 되니깐 엄청 아팠다. 선생님이 광화문 가서 물만 안 맞으면 된다고 했는데 지금 물에 안 닿고 모고 그냥 엄청 아프다.

아마 힘든 하루가 될 것 같다. _C

나는 우리 반에서 가장 자신 있는 것은 림보이다. 아마도 우리 반에서 내가 제일 잘하는 것 같은데 그 근거는 3학년 때 림보 1등을 했기 때문이다. 그래서 나중에 장기자랑을 한다면 나는 꼭 림보를 할 것이다. _J

나는 어제 1학년때의 일기를 보았는데, 맞춤법이 너무나도
틀려있었다. 하지만 4학년이 된 지금도 맞춤법이 틀리고 있다.
내가 아직도 '맞춤법' 이라는 글자를 '맞춤법' 이라고 쓰고
있었다. 앞으로 국어와 맞춤법 공부를 열심히 해야겠다.
아! 그리고 책도 열심히! 가 아니라 조금 많이 적당히
읽어야겠다. _A

나는 요즘 스트리트우먼파이터 2를 보는데 가장 좋아하는 팀은
리퍼블릭이 탈락 배틀에 갔다. 그래서 짜증 난다. 그 팀엔 로열
패밀리라는 유명한 외국크루의 수장의 오른팔인 커스틴이라는 사람이
있는데 탈락 배틀 상태가 원밀리언이었다. 질 것 같아 무섭다.
빨리 다음 화를 보고 싶다. _J

어제 가족들과 같이 배쓰밤을 만들었다. 배쓰밤 만들기 키트를 사서 만들었다. 재밌었지만 키트에 들어있는 반짝이를 실수로 많이 흘려서 치우느라 시간이 좀 걸렸다. 그리고 배쓰밤 중에 한 개는 귀퉁이가 약간 깨졌다. 하지만 그래도 예뻐 보였다. 다음에 키트를 사서 또 만들고 싶다. 그런데 완성품을 사는 것도 좋을 거 같다.

_y

오늘 나는 피곤하다. 왜냐하면 어제 태만에서 우리나라로 왔는데 너~무 졸려서 집에 가자마자 드러누울 것 같다. 힘들다. 어깨 위에 돌덩이가 올라온 것 같다. _J

오늘은 시월 마지막 날! 마지막 날이어서 그런지 기분이 활기차다. 오늘 아침체육 1등을 했다. 요즘 우리 팀이 많이 이기는데 물들어 올 때 노저어야지! 더 열심히 하고 있다. 또, 오늘은 생각 주머니 마지막이어서 기분이 너무 좋다. 그렇지만 오늘 영어 시험이 있긴 하지만 오늘은 활기차게 살 것이다. _J

우리 가족은 어제 평택에 있는 할머니 집에 다녀왔다. 그리고 우리 가족은 식물 키우기를 좋아한다. 그래서 우리집에는 식물이 한가득 있다. 그런데도 엄마는 식물이 부족하다며 평택 할머니 옆집에서 식물을 따왔다. 아니 그런데 사람들이 돌아다니는 것에도 불구하고 식물을 따온 우리 엄마가 자랑스럽다......!!! 집에 와서 식물을 세보니깐 총 58개이다. 좀 많이 따온 거 같다. _A

주말 점심 때 잠실야구장에 태양의 서커스를 보러 갔다. 일단 라운지에서 밥을 먹었다. 머그컵이랑 공연안내서, 공책 선물도 받았다. 2시간 동안 봤는데 중간 쉬는시간에 쿠키 등의 간식도 먹을 수 있었다. 공연은 '물'에 대한 공연이였다. 작년보다 멋졌다.

_M

이번 주말에는 집에만 있었다. 형은 친구들이랑 올림픽공원도 놀러가는데 왜 나만 집에 있어야 하냐는거다. 나도 외출해서 많이 놀러 가고 싶은데, 아직 어려서 어머님,아버님이 나가지 못하게 한다. 너무 답답해! 나도 빨리 커서 밖에 돌아다니고 싶다. 그리고 단풍도 들어야 가족끼리 소풍도 가고 그러는데 요즘은 낙엽으로 바뀌어서 단풍도 못 보러간다. 아 빨리 단풍들어서 나들이 갔으면 좋겠다. _E

어제 '영원한 페이스메이커'라는 책을 읽었다. 다섯 명의 친구들이 VR 사이클대회에 나가서 끝까지 완주하는 내용이다. 감동적이었다. 그리고 '딱 3일만'이라는 책도 읽었다. 한 일란성 쌍둥이가 서로의 모습으로 변장해서 서로의 환경에서 3일간 사는 이야기 이었다. 이건 굉장히 재미있었다. 그리고 어제 학교 도서관에 새 책이 들어 왔는데 내가 신청한 책이 모두 있어서 기분이 좋았다. _Y

시헌이가 슬릭백을 알려주었는데 너무 어려웠다.

더 노력해야겠다. _K

내가 느낀감정은 어이없다이다.왜냐하면 어제 시헌이랑 야구를

하는데 심판 네명이 스트라이크인데 볼이 아니고 스트라이크라고

주장했다.그래서 나는 배트를 던지고 시헌이에게 항의하고 시헌이는

내 야구공을 패대기치고 싸웠다.너무 어이없었다. _K

학교에 오는길에 교통사고가 났다.

자동차에 불이 붙어 있고 터널 옆 화단에 자동차가 쓰러져 있었다.

걱정됐다.

다행히 다친 사람은 없어 보였다. _S

어제 아빠가 내 핸드폰을 들고 가다가 실수로 내 핸드폰을 변기 물 속에 빠뜨렸다.

그 일 때문에 7일 동안 핸드폰을 들고 다니지 못했다.

서운했다. _S

어제 LG가 이겼다. 처음에는 4:0 이어서 질 것 같았는데 3점을 냈다. 그래서 역전할 것 같은 기분이 들었다. 그리고 박동원이 9회 말 2아웃에 역전 투런을 날렸다!! 그래서 너무 통쾌했다. 내일도 이겨서 LG가 한국시리즈에서 우승하면 좋을 것 같다. _Y

어제 LG가 한국시리즈에서 우승했다!!!! 너무 기쁘고 감격했다!! 그리고 고우석이 한국시리즈 마지막 경기의 마무리 투수, 켈리는 승리투수, 그리고 오지환이 MVP가 되었다. 너무 행복하다. 29년만에 우승해서 좋다. _Y

오늘은 원망스럽다.

왜냐하면 금요일에 손가락이꺾여서 손이 부어 멍이들었다.

그래서 내가 너무 원망스러웠다.

그때 잘 잡았스면 부활해서 이길 수 있었는데 내가 너무

원망스럽다. _K

어제 교남동 노래자랑에서 사회자가 너 나와바라고해서 나왔더니

경품 추첨도 하고 내가 벌꿀도 받았다.

너무 기뻤다. _K

내가 한 최초의 거짓말은 동생에게 한 거짓말이다.

동생이 나보고 과자를 먹었냐고 물어봤을 때 나는 먹지

않았다고 거짓말을 했다.

다행히 들키지는 않았다.

거짓말을 하니 기분이 좋지 않았다. _S

난 어제 공원에서 뛰어놀다 내발목을 또 삐었다. 그래서 난

내발목에게 너무 미안했다.

내발목은 이제 내가 발목을삐는 것이 지긋지긋할거 같다.

그런데 뛰다가 넘어져서 좀 부끄러웠다.

이제는 내발목이 또 언제 고장날지 몰라 항상 내마음 이

조마조마하다. _A

오늘 교정장치 때문에 염증이 생겼다.

그래서 오늘 아침에 소금을 잇몸에 하고 소금물로 2분 가글을 했다.

너무 짰다. 그래도많이 나아졌다. _K

학교에 와서 구석 놀이를 하고 있었다.

김시헌이 날 터치를 하기도 전에 먼저 갔다고

친구들이 그랬다. 너무 소름이었다. _H

어제 친구들과분신사바를 했는데 끝내야한다는걸 유튜브에서 봤다.

그런데 우리는 끝내지 않았다.

너무 불안했다. _K

난 오늘 아침에 포도를 먹고 왔다. 그런데 아주 끔찍한 일이 일어났다. 그 일이 무엇이냐면 포도 안에서 무엇이 슬금슬금 기어 나왔다. 그래서 난 '에이 뭐 포도 줄기이겠지'라고 생각했다. 그런데 내가 완벽하게 틀렸다. 그것의 정체가 무엇이였냐면!!!! 그림자이라는 벌레였다. 너무 징그러웠다. _A

엘리베이터에서 방귀를 뀌었다면 난 이렇게 대처할 것이다. 먼저 방귀 냄새를 맡는 척하고 엘리베이터에서 기절한 척하는 것이다.
이렇게 대처하면 엘리베이터 승객들이 내가 방귀를 뀐 것이 아니고 다른 사람이 뀐 것으로 착각할 수 있다. _S
다른 사람들도 이렇게 대처해 보세요

오늘 체육을 하는 데, 서희가 울었다.

이렇게 말했다.

나, "서희야 왜 울어?"

서희, "눈이 와서 흑흑흑"

근데 서희는 운 기억이 없다고 말했다.

너무 웃겼다. _H

오늘 1교시에 에세이를 어떻게 만들지 정했다. 펀딩과 출판사 중에 골라야 하는데 펀딩은 제작, 배송, 마케팅을 직접 해야되서 재미는 있는데 할 일도 많고 시간도 빠듯해서 별로 일 것 같고 출판사는 편해서 출판사로 골랐다. _L

계 절

어제 달을 봤더니 보름달이었는데 엄청 예뻤다.

사진으로 보니 노란 구슬 안에 토끼가 있었다.

달에는 토끼가 살고 있는게 분명하다. _c

오늘 사마귀가 메뚜기를 잡아먹고 있었다.

난 그걸 보고 메뚜기가 불쌍해서 사마귀를 쫓아내 주었다.

메뚜기가 감사 인사를 하듯 내 주위를 빙빙 돌았다.

뿌듯했다. _S

오늘 아침 키우던 개구리가 차갑게 식어 있었다.

나는 엄마와 개구리를 처음 데려온 계곡으로 갔다.

개구리를 휴지에 감싸서 땅속에 묻어 주었다. _S

나는 봄과 가을 중 봄이 나는 더 좋다. 내 생일이 봄인 4월이기 때문이다. 꽃비가 날리는 걸 보기 좋아하기도 한다. 물론 봄이 점점 더워지긴 하지만. 그렇지만 나는 겨울이 제일 좋다. 크리스마스와 눈이 함께 있어서 그렇다. _M

나는 가을보다 봄이다.

날씨는 둘 다 좋지만 가을은 은행이 많아 밟으면 냄새가 너무 많이 나기 때문이다. _S

봄과 가을 중 나는 봄이 좋다. 왜냐하면 봄이 된다면 활짝 핀 꽃들이 나를 반겨주기 때문이다. 또, 가을은 나뭇잎이 떨어져서 쓸쓸한 느낌을 주는것이 싫다. 봄에 향긋한 꽃냄새를 마시면 진짜 명품 향수가 따로 없다. 봄에는 3월이 속해 있어 개학일이 있는데 새로운 반, 새로운 친구들, 새로운 선생님을 만날 수 있으니 그런 면에서도 좋다. _J

나는 둘다 괜찮은 것 같다. 왜냐하면 봄이든 가을이든 각자의 개성이 있기 때문이다. 봄은 꽃 가을은 단풍이고 봄은 꽃구경, 봄나들이 가을은 단풍 구경이 낭만을 즐길 수 있는 계절이다. 그리고 봄, 여름, 가을, 겨울을 비교 하면 안된다. _E

나는 만약에 봄 V S 가을 중에서 골르라 하면 난.. 가을이다.

왜냐하면 요즘 봄이 여름 같아졌기 때문이다. 그리고 가을은 내 생일도 오고 가을 다음이 겨울이라 겨울 방학이 오기 때문이다. 그리고 요즘 가을도 겨울 같아 겨울 음식이 많이 나오기 때문이다. 예를 들자면 따끈따끈 호떡, 먹으면 속이 풀리는 어묵과 어묵 국물, 이불 안에서 먹으면 더 편한 귤 이렇게 귤, 어묵, 고구마, 호떡 이렇게 여러게가 있기 때문이다. _H

나는 여울파다 이게 뭔 소리냐면 둘 다 좋아서 여름과 겨울을 합쳐 버렸다. 여름에는 수박도 먹을 수 있고 반바지도 시원하게 입고 다닐 수 있다. 겨울은 일단 침대 위에서 이불 뒤집어 씌으고 핸드폰으로 귤을 까먹을 수 있다. 사실 겨울도 좋은 이유는 따로 있다. 바로 내 생일이 겨울이다. _C

선생님

어제 돌봄에 있을 때 2학년 동생들과 놀고 있었다.

동생들이 "언니 4학년 몇 반이야?"라고 하길래 난 "4학년 1반"

이라고 말했다. 그러자 또 동생이 "홍예은 쌤이야?" 라고 물었다.

그래서 난 "응"이라고 했는데 그 다음 동생들의 말을 듣고 내가 다

기분이 좋아졌다.

"그 쌤 이쁘던데." _c

선생님을 닮은 동물은 고양이다. 왜냐하면 고양이처럼 예리하시고 귀여우시기 때문이다. 그리고 혼자 있으실 때도 있지만 개냥이처럼 조용히 다가오시기 때문이다. 그래서 선생님이 고양이를 닮으셨다고 생각한다. 다른 친구들의 생각은 어떨지 궁금해진다. _Y

선생님이 가장 싫어 하시는 것은 선생님 말씀을 잘 안 듣는 학생일 것

같다. 왜냐하면 선생님 말씀을 잘 안 들으면 나중에 와서 다시

물어보기 때문이다. 그리고 또 놀욕때빼험따위

(놀리기,욕하기,때리기,빼앗기,험담하기,따돌리기,위험하게놀기) 를 많이

어기는 학생인 것 같다. 나도 선생님 말씀 안 듣고 놀욕때빼험따위를

많이 어기는 학생이 내 제자 라면 좀 힘들 것 같다. _j

내가 우리 반에서 가정 앉고 싶은 자리는 바로 선생님 옆자리이다. 왜냐하면 선생님 옆자리에 앉으면 선생님과 친해 질 수 있을거 같기 때문이다. 그리고 또한가지는 알림장을 조금 빨리 쓰면 제일 먼저 알림장을 낼 수 있을거 같기 때문이다. _A

선생님이 하는 일중 가장 중요한 일은 학생들을 지켜주는 일이다.

선생님은 우리의 의견을 잘 들어주시고 우리가 해달라는 것은 최대한 해 주려고 노력하신다.

예쁜 4-1 쌤 사랑해요~~~ _A

선생님을 닮은 동물은 고양이이다.

왜냐하면 고양이는 새끼를 위해 정성을 다한다. 그런데

선생님도 우리를 위해 정성을 다한다. 아! 그리고 선생님은

고양이를 닮았다. 그래서 선생님을 닮은 동물은 고양이이다. _A

선생님은 무슨 일을 하는 사람일까? 당연히 우리들을 가르치는 사람일 것 같다. 하지만 다른 일을 하실 수도 있을 것이다. 우리들을 바르게 이끄는 사람? 여러 일을 하시는 것 같다. 그렇다면 선생님이 하시는 일 중 가장 중요한 것은? 물론 학교에서 하시는 일 전부 다 중요하시겠지만 역시 우리들을 가르치는 일이 가장 중요하실 것 같다. _M

아기 새

어제 야구를 하고 있는데 깃털이 날아왔다.

깃털이 날아온 쪽을 보니 새가 쓰러져 있었다.

보안관 선생님을 모셔 왔지만 이미 새는 죽어 있었다.

그래서 친구들과 내가 양지바른 곳에 새를 묻어 주었다.

안타까웠다. _S

어제 운동장에 아기 새가 죽어 있었다. 야구를 하고 있었는데
갑자기 바람이 불면서 깃털이 날리더니 새가 떨어졌다. 운동장
구석에다 묻어 줬다. 땅을 파고 나뭇잎을 깐 다음 새를 넣고
봉긋하게 흙으로 덮어 줬다. 나뭇잎과 돌을 한 겹 더 덮고
납작한 돌에다 사인펜으로 써서 묘비도 만들고 나뭇가지로
십자가도 만들었다. 아기 새가 좋은 곳으로 가면 좋겠다. _M

나는 오늘 학교가 끝나고 집에 가고 있었는데 애들이 놀이터 구석 쪽에 모여있는 것을 봤다. 그래서 한번 그쪽으로 가 봤는데.... 충격적인 것 이있었다. 그것이 무엇이였냐면 바로 새가 죽어있었다. 그래서 학교 친구들이 새를 묻어주었다. 새를 오늘처럼 가까이서 본 것은 처음이다. 새가 묻혀진 후 학교 친구들이 새에게 제사를 지냈다. 그 새는 좋은 곳으로 갈 것 같다. 앞으로 그런 일은 없었으면 좋겠다. _A

요즘 새 무덤을 밟으려고 하는 애들이 많다. 1학년,3학년 애들이 우리가 만든 십자가를 옮기고 밟으려고 한다고 한다. 왜 무덤을 밟는 걸까? 이해가 안 간다. 애들이 생명의 소중함을 알고 밟지 않으면 좋겠다. _M

나

돌잔치 때 나는 청진기를 잡았다. 아마도 의사가 될 것인가 보다. 그리고 의사는 똑똑해야 한다. 그래서 내가 똑똑한가 보다. 자화자찬이다. 나는 청진기를 신기해서 잡았을 것이다. 몸을 대면 소리가 나는 것이 신기했을 것이다. _J

나는 돌잔치 때 활과 판사봉을 잡았다. 활은 운동을 잘하는 것이고 판사봉은 공부를 잘하는 거다. 왜 잡았는지 모르지만 아무거나 잡은 것 같다. 돈은 부자고 실은 건강, 마이크는 방송이다. 활을 잡길 잘한 것 같다. _m

나는 아이스크림 가게에서 아르바이트를 하고 싶다. 왜냐하면

손님들께 아이스크림을 퍼서 드리는 게 재밌을 거 같기 때문이다.

그리고 편의점 아르바이트도 괜찮을 거 같다. 왜냐하면 편의점

물건을 정리하는 걸 잘할 수 있을 거 같기 때문이다. 그런데

우리가 크면 신기한 알바가 많이 생길 거 같다. 미래에는 어떤

알바가 생길지 궁금하다. _y

내가 커서 아르바이트를 한다면는 야구 마스코트 아르바이트다.

왜냐하면 야구 마스코트가 되면 야구 경기를 볼 수 있다. 또 맨 앞자리에서 야구 경기를 볼 수 있다.

그래서 나는 야구 마스코트가 되고 싶다. _S

신께서 나에게 준 가장 큰 선물은 나이다.

왜냐하면 지금도 내가 없다면 지금 이 글을 쓸 수 없고, 지금

살아있지 않을 것이다.

세상에서 내가 가장 중요하다.

내가 없었다면 지금 숨도 못 쉬었다.

그래서 신께서 나에게 준 가장 큰 선물은 나이다. _j

나를 색깔로 표현한다면 검정색이다. 왜냐하면 내가 화날때는 빨강색, 슬플 때는 파랑색, 기쁠 때는 노랑색이고 또 다른 여러 가지 감정들이 있는데 그 색을 모두 섞으면 검정색이기 때문이다. 서로 다른 감정의 색깔이 하나하나 모여 내가 만들어지는 것이니 나를 색깔로 표현한다면 검정색이 맞다고 볼 수 있다. 그래서 나를 색깔로 표현하면 검정색인 것 같다. _J

나를 색깔로 표현하면 무지개색이다.

왜냐하면 감정의 따라 다르기 때문이다.

체육을 하면 의기 팔팔한 빨강, 음악을 할 때는 기분 좋은 노랑,

기분이 안 좋으면 검정, 초록 여러 등등이 있기 때문이다. _H

나를 색깔로 표현한다면 무슨 색일까? 아마 파란색일 것 같다. 왜냐하면 파도처럼 활동적이기 때문이다. 나는 파란색을 좋아한다. 파란 바다와 하늘도 좋아한다. 파란색이 시원하고 넓은 느낌을 줘서 예전부터 좋아했다. 그래서 나를 색깔로 표현한다면 파란색일 것 같다. _m

나를 색깔로 표현한다면 연보라색일 것 같다. 왜냐하면 난 연보라색을 가장 좋아하기 때문이다. 그리고 내가 좋아하는 것에 연보라색이 많이 들어있기 때문이다. 예로 들면 쿠로미, 수국 등이 있다. 그리고 연해서 좋아한다. 그래서 연보라색이 나를 나타내는 색깔이라고 생각한다. _Y

내가 만약 다음 생에 과일로 태어난다면 용과로 태어날 것이다.

왜냐하면 내가 가장 좋아하는 과일이기도 하고, 그리고 과즙이 많아서

시원할 것 같다. 또 씨도 많아서 요즘처럼 저출산 시대에도 흔들림

없을 것 같다. _j

나는 다음 생애에 코코넛으로 태어나고 싶다. 왜냐하면 사람들이 코코넛을 거의 좋아하기 때문이다. 또한 다른 장점은 코코넛은 단단해서 머리가 잘 안깨지기 때문이다. 그러나, 코코넛의 단점도 있다. 뭐냐하면 사람들이 코코넛을 많이 사서 내가 사람들에게 잡아먹힐 수도 있는 것이다. 하지만 이왕이면 다음 생애에 사람으로 태어나고 싶다. _a

신문 1면에 내 사진이 실린다면 이런 내용이었으면 좋겠다.

김시헌 두산베어스 데뷔하여 첫 타석부터 그랜드 슬램.

이라는 내용이 있었으면 좋겠다. _S

지식과 경험

나는 지식과 경험 중에 경험이 더 중요하다고 생각한다. 만약
기계 조작법을 몰라 버튼 하나를 눌렀는데 연기가 나온다면
앞으로는 그 버튼을 누르지 않게 된다. 또 책으로 본 것보다
직접 경험하는 것이 더 기억에 남는다는 것이 내 생각이다.
나는 '경험'이 나에게 필요하다고 생각한다 그런데 지식과
경험이 비슷한 것 아닐까? _m

나는 경험이 더 중요하다고 생각한다. 왜냐하면 책에서 보거나 인터넷에서 정보를 얻은 게 틀릴 수도 있기 때문이다. 그리고 실전에서는 지식이 의미가 없을 수도 있기 때문이다. 하지만 지식도 조금은 중요하다고 생각한다. 왜냐하면 과학 지식으로 생존할 수도 있기 때문이다. 결국 지식과 경험 모두 중요한 것 같다. _Y

지식과 경험 중 나는 경험이 더 중요하다고 생각한다. 왜냐하면 잘 기억은 안 나지만 백 번 듣는 것보다 한 번 가 보는 것이 좋다는 속담이 있다. 지식은 보통 경험이 필요하니까 나는 경험이라고 생각하기도 하고 지식도 조금 중요하다고 생각하기도 한다. 하지만 경험이 더 중요 하다고 생각한다. _J

난 지식 보다는 경험이 중요하다고 생각한다.

왜냐하면 경험이 계속 쌓이다 보면 지식이 쌓이기 때문이다.

또 경험이 많으면 위험한 상황에 대처할 수 있기 때문이다.

_S

경험 V S 지식을 물어보면 난 경험이 중요하다고 느낀다.

왜냐하면 시험을 치는데 경험이 없고 지식만 있으면 갑자기

떨려 못할 수 있어 경험이 필요하다.

경험이 있으면 자신감이 생겨 시험을 그럭저럭 볼 수 있기

때문이다. _H

훌륭한 리더

훌륭한 리더란 어떤 사람일까? 내 생각엔 사람들을 올바르게 바른길로 이끄는 사람일 것 같다. 아무리 팀이 좋다더라도 리더가 알맞은 사람이 아니면 팀이 좋지 않으니까 리더가 제일 중요한 것 같다. 리더가 잘하면 좋고 잘 못해도 괜찮은 팀이 있으면 좋겠다. _m

훌륭한 리더란 남의 의견을 경청하고 존중해주는 사람이다. 존중을 안 해주면 그 누구도 리더가 될 수 없다고 생각한다.

그리고 어떤 일에 모범이 되는 사람이다.

하지만 나는 리더가 필요하지 않다고 생각한다. 리더가 없다고 '난 몰라~' 이런 생각을 하면서 가만히 있으면 아무것도 못한다. 여러 사람들이 모여 협동을 하면 리더가 없어도 어느 일이든지 해낼 수 있다. _C

감정

나를 울게 하는것은 바로 영화이다.

왜냐하면 나는 영화를 볼 때마다 눈물 버튼이 폭발하기

때문이다.

영화를 보다가 슬픈 장면이 나오면 나도 모르게 눈물이 나온다.

친구들은 이런 나를 보고 재미있는지 웃는다.

엄마가 그러는데 아빠도 영화를 보고 운다고 한다.

나는 아빠를 닮았나보다. _a

내가 가장 좋아하는 단어와 그 이유는?

내가 가장 좋아하는 단어는 "사랑해"이다. 듣기만 해도 마음이 포근해진다. 이유는 그냥... 따뜻한 말이라서 그렇다. 언제든지 "사랑해"라는 말을 들으면 가슴이 뛴다. 참 포근한 말이다. _M

내가 생각하기에 가장 행복해 보이는 사람은?

내가 생각하기에 가장 행복한 사람은 바로 없다.

왜냐하면 무슨 사람이든 다 행복해 질수 있기 때문이다.

아무리 힘들어도 열심히 하면 힘들어 질 수 있기 때문이다.

그래서 난 가장 행복한 사람은 없다고 생각한다. _a

나는 가장 행복한 사람은 없다고 생각한다. 왜냐하면 모든 사람은 행복할 자격이 있기 때문이다. 그래서 난 가장 행복한 사람은 우리 모두라고 생각한다. 그래서 행복하지 않은 사람을 보면 위로해 주고 싶고 걱정해주고 싶은 것이 아닐까? 그러면 반대로 행복하지 않으면 속상한 것이다. 그리고 모든 사람은 행복해지고 싶어 한다. 그래서 사람들은 슬퍼지고 싶지 않아서 화를 내는 걸지도 모른다. _y

나는 부러움을 느낄 때가 별로 없다.

왜냐하면 난 부러우면 지는 거 라고 생각하기 때문이다.

그리고 난 누가 자랑을 하면 "아 그렇구나"라고 대답한다.

그래서 난 부러움을 느낄때가 별로없다. _a

나는 언제 부러움을 느낄까? 나보다 뭔가를 누군가 잘 할때 부러움을 느끼는 것 같다. 그래도 부러움을 "나도 열심히 노력하면 할 수 있어!"로 바꿀 수 있지 않을까? 부러움을 가만히 느끼고 있는 것보다는 열심히 노력하는 게 더 낫다고 생각한다. _m

내가 화날 때 마음을 다스리는 방법 1번째는 방에들어가서 문잠그고 인형을 엄청많이 화가 풀릴때까지 때린다 2번째 방법은 나를 짜증나게 한사람을 혼잣말로 쌍욕한다 3번째는 날 짜증나게 한사람을 방으로 데려가서 때린다 4번째는 헤드셋 끼고 신나는 팝송을 듣는다. _L

내가 화가 날 때 마음을 다스리는 방법은 책을 읽는 거다.

책을 읽으면서 마음이 차분해진다. 아니면 맛있는 것을 먹으면

스트레스가 풀린다. 그래도 맛있는 걸 먹는 편이 난 더 좋다.

스트레스를 푸는 데는 달콤한 게 최고다. _M

난 화가 날 때 가만히 누워서 명상을 한다.

근데 엘리멘탈 ost를 틀고 헤드셋을 끼고 명상을

5분간 하고 랜덤 플레이 댄스를 틀면 화는 없어지고 흥만 남는다.

근데 랜플댄을 5분 밖에 안했는데 모르는 노래가 나오면 핸드폰과

헤드셋을 뿌실 수 있는 그런 위험한 상황이 오기도 한다. _C

내가 화났을대 마음을 다스리는 방법은?

내가 화났을대 마음을 다스리는 방법은 바로 내가 좋아하는 남자아이를 생각하는 것이다.

화가 좀 풀린다. 그래도 화가 않풀리면 내 이상형 공작소로 들어가 내 이상형을 만들어 낸다. _A

내가 화날 때 마음을 다스리는 방법은?

나는 핸드폰을 보거나 악기를 한다. 또 도서관에 가서 책을 읽기도 한다. 나는 핸드폰으로 유튜브를 보기도 하고 악기를 하기도 한다. 그리고 친구들과 모여 얘기하거나 속마음을 털어 내면 마음이 편안해지고 다른 얘기도 해서 재미 있기도 하다. _E

규칙

나는 시간과 장소를 나눈 까닭은 모두 다 행복해지기 위해서 인 것 같다. 만약 남자 화장실과 여자 화장실이 붙어 있다면 불쾌한 일이 생길 것이다. 그리고 시간을 잘 지키면서 수업 시간과 쉬는 시간을 잘 구분해야한다. 왜냐하면 어떤 친구는 수업을 듣는데 어떤 친구는 놀고 있으면 혼란이 생기기 때문이다. 나는 교양인이 되고 싶다. _J

우리가 사는 세상에서 시간과 공간을 나누지 않는다면 사람들이 불편해질 것 같다. 식당에서 운동을 하고, 체육관에서 공부를 하는 등 엉망이 될 것 같다. 시간과 장소의 규칙을 이해하고 지키는 '교양인'이 돼야겠다는 생각이 든다. 교양인이 된다면, 존중받을 수 있을 것 같다. _m

생각하는 힘

복잡한 생각을 정교하게 다루기 위해서는 '생각하는 힘'을 길러야한다. 학교에서 배우는 지식은 생각의 도구를 다듬는 일이다. 그 생각의 도구로 나의 복잡한 생각을 스스로 잘 다룰 수 있을까? _m

시간

내일보다는 오늘이 중요하다.

왜냐하면 오늘 야구를 이겨야 내일 이길 수 희망이 있기 때문이다.

그리고 오늘 잘해야 내일이 좋기 때문이다.

그래서 나는 오늘이 중요하다고 생각한다. _S

과거(어제), 현재(오늘), 미래(내일) 중 가장 중요한 것은 무엇일까? 내 생각엔 현재일 것 같다. 과거는 이미 지나간 것이고 미래는 현재의 행동에 따라 바뀌기 때문이다. 그래서 나는 현재를 가장 중요하게 여긴다. 내 현재에 따라 바뀌는 미래는 어떤 모습일까? _m

아름다움

예쁜건 좋은 것 일까?나는 이 말에 반대한다. 음식으로

예를들면요즘은 사람들이 예쁜음식을 많이 찾는다. 그러기때문에꼭

예쁜거라는 인식이 높아진거같다. 하지만 내 생각은 그에

반대다.예쁘지않더라도맜있고 가격도 똑같으면 예쁘지 않은 것 같다.

또 배에 들어가면 똑같기 때문에 예쁜게 오직 다 좋다는

편견을버려할 것 같다. _K

예쁜건 좋은걸까? 나쁜걸까?

예쁜건 안 좋은 거 같다. 왜냐하면 납치를 당할 수도 있기

때문이다.

우리아빠는 가끔 "아이고~ 우리 서희 얼굴이 못생겨졌네~" 라고

나한테 장난을 친다.

그래도 괜찮다. 대신 납치당할 일은 없겠지? _A

교복

우리 학교에 교복이 생기면 난 싫을 것 같다. 왜냐하면 학생의 옷차림을 규제하는 것이 싫기 때문이다. 그리고 마음대로 옷을 입는 게 좋기 때문이다. 하지만 매일 입는 게 싫은 거지 하루에서 일주일 정도는 괜찮다. 그래도 교복 대신 매동티가 있어서 괜찮다. 다른 친구들의 생각은 어떨지 궁금하다. _y

매동초에 교복이 생기면 이상할 것이다. 교복이 생기면
학생들이 자유롭게 옷을 입지 못해 힘들다. 그래서 학생들은
다른 초등학교로 전학을 갈 것이고 매동초는 역사속으로
사라질 것이다 그리고 다른학교는 학생수가 너무 많아져서
또 학생들은 전학을 간다 그것의 반복이다. _B

친구

내 오른쪽에 있는 사람은 준희다. 걔의 장점은 1. 밥을 많이 먹는다. 2. 마음씨가 넓고 착하다. 3. 공부를 열심히 하고 하나에 도전하면 포기하지 않고 계속 도전한다. 4. 춤을 잘 춘다. 방송 댄스를 해서 그런지 잘한다. 5. 바이올린을 잘한다. 앞으로 준희와 친하게 지내도록 해야겠다. _m

만약에 내짝이 바퀴벌레가 된다면 나는 컵이나 통에 넣어둘 것이다. 그러다 너무 징그러우면 세스코 불러서 죽일 수 밖에 없다... _L

내 짝꿍 즉 우재가 바퀴벌레로 변한다면 학교를 뛰쳐나와 집으로 갈 것이다. 왜냐하면 벌레 약을 가져오기 위해서다. 그래서 우재를 벌레 약으로 죽인 다음 우재를 화장 시켜 줄 것이다. 영혼이 하늘에 간 것 같으면 하수구에 버려 줄 것이다. 그러면 (고)우재의 영혼이 하늘로 잘 갈 것이다. _J

나는 어제 내 베프 서희와 우리 집에서 재미있게 놀았다. 먼저 MBTI검사를 했다. 나는 ENFP가 나왔고 서희는 ENFJ가 나왔다. 비슷해서 놀랐다. 그다음에는 같이 간식을 먹었다. 고래밥, 사탕 등 다양한 간식을 먹었다. 그리고 그다음에 이야기를 했다. 나는 일본 여행 이야기를, 서희는 필리핀 여행 이야기를 서로 나누었다. 아주 재미있었다. 역시 서희는 내 베프이다. _Y

어제 친구와 말다툼을 했는데 말다툼이 계속 마음에 걸린다.

앞으로는 친구와 친하게 지내야겠다.

"다시는 안싸워야 겠다" _a

친구와 다투고 나면 드는 생각은 뭘 잘못했는지 생각하게 되는 것 같다. 그다음에는 내가 왜 친구와 싸울만한 행동이나 말을 했는지 떠올려 본다. 그다음에는 화해하고 싶다는 생각이 든다. 그런데 친구와 별로 안 다투어봤다. 그래서 이렇게 생각해본 적이 별로 없다. _y

친구와 다투고 나면 드는 생각은 진짜 어이가 없고 보기도 싫고 친구 안하고 싶은 생각이다. 그런데 며칠이 지나면 친구가 '같이놀자'하고 찾아온다. 그러면 어이가 없고 짜증이난다. 그런데 또 며칠이 지나면 내가 놀자고 한다. 그래서 이상한 기분이 든다. _K

친구랑 다투고 난 후...

'내가 좀 심했나?'라고 생각이 드는건 전 세계 국룰임.

어떤 친구는 꼭 싸운 친구가 잘못했다며 우김.

또 어떤 친구는 절교하자고 결심하고 절교했다가 금방 친해짐.

그런데 나는 항상 '내가 좀 심했나?' 라는 감정이 앞서는

편이라서 화를 내는게 어렵다.

어쩌면 이게 단점일지도? _e

음식

나는 먹기 위해 산다. 왜냐함면 맨날 새로운 걸 먹으면 유레카 이렇게 맛있는 것이 있었다니!?!? 또는 윽 맛없어이다. 나의 목표는 화이트 캐비어 먹기이다. 화이트 캐비어는 한 숟가락에 무려 5000만 원이나 한다. 화이트 캐비어는 알비노 철갑상어가 낳은 알이다. _b

내가 가장 좋아하는 식당은 우리 집이다.

왜냐하면 나는 외식을 한 적이 없기 때문이다.

매일 집에서만 밥을 먹어 봤기 때문에 우리 집이 제일 좋다.

_S

내가 가장 좋아하는 과자는 홈런볼이다. 왜냐하면 맛있고 다양한 맛이 있기 때문이다. 그리고 난 양파링과 고래밥도 좋아한다. 왜냐하면 맛있는 시즈닝이 뿌려져 있고 바삭바삭하기 때문이다. 그리고 고래밥은 과자 모양에 따라 이름이 있는데 이름이 많이 웃겨서 좋아하기도 한다. 양파링은 동그란 과자로 놀면서도 먹을 수 있어서 좋아한다. _y

나는 라면 중에 너구리를 좋아한다. 옛날에 참깨 라면을 먹어봤는데 내 취향은 아닌 것 같다. 구리는 한입 쫍! 빨아 먹을 때 '그' 면의 탱탱함이 살아 있으니 얼마나 맛있는지 모르겠다. 면도 다 먹고 나면 밥을 말아서 냠냠 먹으면 배가 터진다. 그런데 솔직히 아버지가 해주시는 라면이 세상에서 제일 맛있다. _c

내 인생 최고의 컵라면은 튀김우동이다.

왜냐하면 튀김 우동은 맵지 않아서 매운 것을 못 먹는 내가

먹기 쉽다.

또 튀김우동 안에 동그란 새우튀김이 제일 맛있다.

그래서 나는 튀김우동만 먹는다. _S

나는 물냉면파이다.

왜냐하면 난 비빔냉면을 먹어본적이 없기 때문이다.

그리고 난 매운 것을 못 먹기 때문에 비빔냉면을 못 먹는다.

그리고 나는 물냉면이 있으면 항상 고기랑 같이먹는다.

'그래야지 맛이있기 때문이다.' _a

나는 비빔 냉면보다는 물냉면을 좋아한다.

왜냐하면 여름에는 시원한 물냉면 국물이 계속 생각난다.

또 물냉면에는 시원한 살얼음이 들어가 있어 여름에는 더욱

맛있다.

그래서 나는 물냉면이 더 맛있다. _s

난 치킨을 먹을 때는 순살로 먹는다.

왜냐하면 순살은 뼈가 없어 이가 다치지 않아 이를 다치는

걱정은 안 해도 된다.

또 순살은 뼈가 있을 자리에 살이 있다.

그렇기 때문에 난 순살이다. _S

나는 치킨을 먹을 땐 순살파이다.

뼈가 있는 치킨은 겉바속촉의 느낌을 느끼고 있는데 갑자기 뼈가 나와서 흐름이 확 깨진다. 그리고 뼈는 발라 먹기 귀찮다.

순살은 뼈가 없기에 간편하고 빠르게 먹을 수 있고, 그리고 손에 기름이 묻지 않아 굳이 닦지 않아도 된다.

그래서 설명하고 싶은 건 순살이 먹기에 양이 많고 간편하고 스피드를 내기 좋다는 거다. 사실 아무거나 먹어도 상관은 없다. _e

뼈 치킨 vs 순살 치킨을 고르면 나는 순살 치킨이다. 왜냐하면 뼈있는 치킨은 맛있게 생겼지만 치킨을 크게 물면 뼈 때문에 그 기쁨이 날아간다. 그 반면 순살치킨은 치킨을 크게 물어도 뼈가 나오지 않아 그 행복이 지속된다. 또, 순살 치킨은 포크로 먹기 좋다. 하지만 뼈 치킨은 포크로 쉽게 찍지 못한다. 음식물 쓰레기가 많이 나오고 급할 때 한입에 넣기 힘들다 그래서 나는 뼈 치킨 vs 순살 치킨에서 순살치킨이 더 좋다. _J

어제 친구네 집에서 과메기를 먹었다. 초장이랑 김치를 같이 먹었는데 김치를 많이 먹어도 살짝 비렸다. 그래도 맛있어서 계속 먹고 싶은 맛이었다. 과메기는 말린 생선이었다. 또 먹고 싶지만 비려서 많이 못 먹었다. _M

어제 저녁에 떡볶이를 먹었다. 매운 국물 떡볶이하고 짜장 떡볶이를 만들어 먹었는데 파, 양파, 당근, 어묵, 계란이 많이 들어가서 더 맛있었다. 조금 있다가 7시쯤 식은 짜장 어묵을 먹는 것도 맛있었다. 또 먹고 싶다. _M

어제 집에서 사과 말랭이를 만들어 먹었다. 전자레인지에 얇게 썬 사과를 4분 동안 굽고 1시간 동안 말렸다. 그 후 사과 말랭이에 설탕을 뿌리면 된다. 아삭아삭 맛있었다. 쉽게 만들 수 있어서 좋다. _M

내가 제일 좋아하는 우리 학교 급식 메뉴는 열대과일 샐러드다. 말만 샐러드지 내가 좋아하는 열대과일이 들어 있다. 언 망고, 파파야, 용과가 들어 있다. 너무 차가워서 입이 얼얼하지만 그냥 먹고 만다. 1년에 한 번 정도만 나와서 아쉽다. 많이 나오면 좋겠다. _m

우리 학교 급식 중 나의 최애는 '딸기스무디' 이다. 원래 내가
스무디를 좋아해서 집에서도 블루베리 스무디를 많이 갈아 먹는데
딸기스무디도 좋아한다. 참고로 이 급식은 7월 7일에 나왔다. 그
이빨이 싹 시리면서 중독되는 맛은 정말 태박이다. 그것이 나에게는
우리 학교 최애 메뉴이다. _J

체험학습

오늘의 감정은 기태되는 감정이다. 왜냐하면 오늘은 경복궁으로 현장 체험 학습을 가기 때문이다. 걱정되는 마음도 든다. 내가 저질 체력 이어서 과연 내가 한 번도 안 쉬고 광화문부터 경복궁 끝까지 갈 수 있을지 나도 내가 반신반의 하다. 민속박물관에 가서 빨리 수건돌리기를 하고 싶다. 수건 돌리기는 하면 할수록 재미있기 때문이다. 조금 있으면 나는 경복궁 에간다. 신난다. _J

오늘 서촌을 거닐다 프로그램을 하는 날이다. 광화문에서 출발해 경회루 쪽으로 가고 강녕전이랑 교태전도 보고 향원정도 구경한다. 민속박물관으로도 가서 구경한다고 한다. '소풍 놀이'라는 프로그램도 한다는데 재미있을 것 같다. 기대된다. _M

어제 광화문광장으로 체험학습을갔다.

재인이랑 같이 다녔는데 첫 번째로 퍼스널검사 하는데를갔는데

사람이 엄청 많았다 웜톤이나올까봐 조마조마했는데 쿨톤이

나와서 기분이 좋았다 그다음에mbti를 하고싶었는데 이메일이

있어야 된다고 해서 못했다 그래서 짜증났다. ㅡㄴ

오늘은 매동 산행을 가는 날이다. 윤동주 시인의 언덕까지 가서 간식을 먹을 거다. 매동 산행이 재밌을 것 같다. 윤동주 시인의 언덕까지 가서 먹는 간식이 맛있을 거 같다. _y

오늘 광화문 진로박람회에 간다. 설레서 꿈까지 꿨다. 현서랑

같이 가기로 했는데 여러 체험을 해서 동생에게 주기로 했다.

꿈의 내용은 박람회를 갔는데 모자를 놓고 왔다는 허무한

이야기다. 하지만 모자를 들고 왔으니 꿈과는 다른 현실이다.

_M

10월 31일

오늘은 31일 할로윈이다. 너무 좋다.

10월이 되자마자 '할로윈의 날이 왔다'라고 기대하고 있었다.

그러고 보니 이태원 참사가 벌써 1년이 지나 있었다. 분명히 어제

이태원 참사가 일어난 것 같았는데... 시간이 너무 빠르다. _C

어제는 할로윈이였는데 우재가 피를 토하는 몰카를 했다.
그런데 내가 진짜인줄 알고 보건선생님을 불러올 뻔 했다.
사실 그건 석류 주스였다. 그런데 유통기한이 지나 진짜로
토맛이 났다고 한다. 그래도 몰카는 대성공이였다고. _B

어제 우재가 이민형한테 할로윈 몰카를 하는데 도와달라고했다
그래서 좋다고했다 우재가 석류즙을 피로 한다고 했는데 피같지가
않아서 별로안 속을것같았다 학교 끝나고 화분에 우재 핸드폰을
숨기고 나는뒤에서 찍고 있었다 근데 초록색깔 바닥에서 해서
피가잘않보여서 아쉬웠다 그래도 잘속아서 재미있었다 _L

발표회

오늘의 감정은 '자신 있다' 이다. 왜냐하면 오늘 우리 반에서 기타 공연을 하는데 코드가 거의 쉽기 때문이다. 박자도 많이 외워서 아주 수월할 것이다. 기대된다. 빨리 기타 공연을 하고 마음이 후련해지면 좋겠다. _J

오늘은 드디어 학교에서 하던 기타 수업이 끝났다. 이제는 스스로 연습해서 학예회 때 캐논을 연주할거다. 나는 5학년 때 제대로 다시 기타를 배우고 싶다. _B

오늘의 감정은 '불안하다' 이다. 오늘 가야금 수업이 있는데 손이 너무 아플까 걱정이다. 솔직히 말하자면 전에 했던 기타 수업보다 가야금 수업이 훨씬 어렵고 훨씬 재미 없다. 손도 아파 더 하기 싫다. _J

어재 드디어 콩쿠르 곡이 결정됐다. 너무 설렜다. 근데 조금 걱정됐다.

조금 어려운 곡이 걸려서 많이 힘들 것 같았다.

'내가 잘 해낼 수 있을까?' 라는 생각도 들었다. 빨리 이 곡을 마스터해서 빨리 콩쿠르를 가고 싶다. _E

오늘 내 기분은 떨리다.

왜냐하면 오늘 내가 하는 밴드 공연 날이기 때문이다.

게다가 공연을 잘 끝내면 치킨 등등을 먹을 수 있어서

이다. 많이 떨리면서 군침이 돈다. _H

우리 학교는 학예회를 한다.

우리 반은 학예회에서 캐논 변주곡을 연주한다.

"와~ 우리반이 캐논 변주곡을 연주한다니 너무 환상적이야!!"

환상적으로 생각했으니 더 열심히 연습을 해야겠다.

선생님 말씀으로는 연습할때 긴장을 가지고 하라고 하셨다.

열심히 연습해서 학예회 발표때 멋지게 잘해야겠다. _A

학교에서 12월에 학예회를 한다고 한다. 우리 반은 캐논을 한다는데 각자 자신있는 걸로 악기를 맡아서 한다고 한다. 나는 바이올린을 하는데 플루트, 리코더, 피아노, 드럼 등 이야기가 많이 나왔다. 빨리하면 좋겠다. _M

요즘 음악 시간에는 학예회 연습 준비를 한다. 인트로부터
A파트까지 했는데 인트로는 쉽고 A파트는 바이올린은 하지 않고
쉬어서 어렵진 않았다. 11월 23일은 B~C, 11월 27일은 D, 11월
30일은 E를 한다. 그리고 12월 4일부터 12월 14일까진
집중연습 기간이다. 학예회가 기대된다. _M

꿈

오늘 무서운 꿈을 꿨다. 학교에서 체육을 하는데 가방들에 불이 붙어서 체육관에 불이 나는 꿈 이였다. 소방서에서는 일이 많다고 못 왔다. 그런데 서영이가 귀신이 됐다. 그래도 불 꿈은 좋은 꿈이니까 괜찮지 않을까? _M

어제 또 이상한 꿈을 꿨다. 우리 가족이 산길에서 드라이브를
하고 있었는데 막 발사된 로켓의 엔진과 로켓이 부딪치려고 하고
있었다. 그러다 엔진이 우리 차 쪽으로 날아와서 우리 차가
화염에 휩싸였는데 차가 한 바퀴 돌았다. 그런데도 살았다.
놀라운 꿈이다. _M

요즘에 잠에서 깨면 꿈과 현실을 구분하기가 힘들다. 예로 들면 꿈속에서 파티를 하고 있었다고 하면 이상하게도 분명 잠에서 깨어났는데 지금도 파티를 하는 기분이다. 그리고 가끔씩(약 삼 년에 한 번) 미래가 보일 때도 있다. 예로 들면 꿈에서 급식으로 멸치 후리가케를 먹었는데 이번주 급식으로 멸치 후리가케가 나온다든지. 너무 신기하고 기묘하다. 이제 그만 이런 일들이 일어났으면 좋겠다. _Y

어제 이상한 꿈을 꾸었다. 행사장에 갔는데 서희를 만났다. 반가워서 손을 흔들었다. 그런데 이상하게 서희가 날 무시하고 옆에 있는 아이하고만 이야기하고 있었다. 그래서"안녕"이라고 말했더니 옆에 있던 아이가 귓속말을 했고 또 날 무시했다. 그런데 신기한 것은 서희도 같은 꿈을 꾼 것이다!! 서희는 옆에 있던 아이가 나한테 인사하는 것을 막으려고 했다고 한다. 우리 둘 다 너무 신기했다. _Y

수도꼭지에서 초코우유가 나오면 어떻게 될까? 나는 공기로 부풀리는 수영장을 가져와서 수영장에다 초코우유를 담을 거다. 그래서 거기서 수영도 하고 초코우유를 마시기도 할 거다. 그리고 초코우유를 팔면 좋을 것 같다. 학교의 반은 공장으로 쓰고 반은 초코우유 학교를 세우면 어떻게 될까? 난 딸기우유가 더 좋은데. _m

운동장 대신 아이스링크가 생긴다면 그 위에 눕거나

스케이트를 타거나 하키를 하고 싶다. 링크장을 가루 내서

빙수를 먹고 싶다. 더운 데 누워 있으면 좋을 것 같다.

언젠가 할머니 댁에서 대야에 물 받아서 발 담궈 책

읽었는데 시원했다. _m

체육시간

오늘 체육 수행평가인데 수행평가를 한 후 바로 축구다.

그리고 다음주 월요일은 운동회다.

나쁜 일 다음에 좋은 일이 온다더니 진짜였다.

그래서 너무 좋다. 그런데 문제는 이번 해 운동회를 하면

다음에 안 할 수도 있다. 그게 좀 걱정이다. _B

나는 피구와 야구 중에 피구가 재미있다. 일단 야구는 규칙도 많아서 배우기 어렵다. 그렇지만 피구는 라인, 패스, 피하기 등등만 알면 배울 수 있어 더 빨리 배울 수 있다. 내가 생각하는 피구의 가장 큰 장점은 야구는 공이 딱딱해서 잘못 맞으면 다치지만 피구는 공이 말랑말랑해서 맞아도 안 아픈 것인 것 같다. 그래서 나는 야구와 피구 중에 피구가 더 좋다. _J

드디어 결전의 날이 왔다. 오늘 체육시간에는 옆 반과 경기를 한다.

제발 이겼으면 좋겠다. 친구들이 응원봉, 머리띠를 만들길래 나도

만들었다. 근데 막상 만들고 나니 좀 부끄럽다. _c

오늘 체육대회를 한다. 달리기는 질 것 같고 줄다리기는 잘 모르겠다. 딱 봐도 달리기는 진다. 반 대항전에서도 못 이기던 달리기를 체육대회에서 이길 리가 없다. 피구 종목이 있었으면 좋겠다. 피구로는 확실히 이길 수 있다. 반 대항전에서 완승한 적도 있다. 제발 이기면 좋겠다. _M

어제 체육대회를 했다. 달리기는 예상대로 졌다. 줄다리기는 질지도 모른다는 생각을 깨고 예상외로 이겼다. 첫 경기를 20초 안에 끝내버리면서 6전 5승의 기록을 올렸다. 피구는 아쉽게도 1:1 이였다. 전체 결과는 무승부였다. 그래도 첫 종목인 개인 달리기에서 1등 해서 기분이 좋다. _M

어제 운동회를했다. 1번째 게임으로 개인달리기를 3학년이랑 같이

했는데 그냥 2반한테 거이다 발려서 짜증이났다.2번째 게임으로

이어달리기를 했는데 앟봐도 질게 뻔해서 이길 기대는앟했다

3번째로는 줄다리기는 진짜로 우리가 2반을 싹다 발라버릴수

있을거라고 생각했다 왜냐하면 2반은 비실이 밖에 없어서

이길수 있을것같았다 내 예상대로 줄다리기는 이겨서 기분이

너~무 좋았다. _L

나는 아침 체육에서 농구를 하는데 시헌이가 매일 안 와서 우리 팀이 매일 졌다. 오늘도 질 것 같은 마음으로 경기에 임했는데 어! 어쩌다 보니 세팀 다 무승부였다. 결승 진출을 노리고 자유투를 넣었는데 내가 넣은 것이었다. 그래서 뿌듯했다. 친구들이 칭찬을 해줘서 기분이 더 좋았다. _J

서촌

우리는 서촌에 산다.

서촌의 자랑 5가지는

1. 문화시설을 체험할 수 있다.

왜냐하면 통인시장에서 먹거리를 즐길 수 있다.

그리고 경복궁에서 문화를 즐길 수 있다.

(그리고 한복 입고 가면 무료예요.)

2. 조선의 대표 옷인 한복을 입고 즐길 수 있다.

3. 광화문에서 다양한 체험을 할 수 있다.

예를 들면 먹거리, 요가를 할 수 있다.

4. 우리 학교를 볼 수 있다. (뻔뻔)

5. 우리 반과 피구를 할 수 있다. _H

내가 가장 좋아하는 식당은 서촌에 있는 우동집이다. 우엉튀김, 소바, 냉우동, 우동 같은 걸 파는데 우엉튀김을 만들 때 주방에서 하는 불쇼를 구경할 수 있다. 난 우동과 우엉튀김을 주로 먹는다. 요전에 이사했다고 들었는데 아직 이사한 곳은 못 가봐서 궁금하다. _m

내가 서촌에서 가장 좋아하는 식당은 '왕자 떡볶이'이다. 여기는 특히 김말이가 맛있다. 그것의 비결은 바로 김말이 안에 깻잎이 들어가 있다는 것이다. 요기는 조금 멀어서 차를 타고 가야 하기는 하지만 모든 메뉴의 맛이 보장해 준다. 또, 일반 떡볶이도 맛있다. 매콤달콤한 것이 천국에 간 느낌이다. _J

서촌의 자랑거리 다섯 가지는 첫째, 큰 어린이 도서관이 있다. 다른 동네에서는 도서관이 없는 경우가 있는데 여기는 큰 도서관이 있어서 좋다. 둘째, 궁이 가까운 곳에 많다. 그래서 체험 학습으로 궁을 많이 가는데 갈 때마다 멋지다는 생각이 든다. 셋째, 광화문 광장이 가까이 있다. 그래서 광화문 광장에서 행사를 하면 쉽게 갈 수 있다. 넷째, 예쁜 골목길이 있다. 그래서 산책을 자주 하면 예쁜 골목길을 구경할 수 있기 때문이다. 다섯째, 예쁜 카페가 많다. 그래서 맛있는 후식을 많이 먹을 수 있기 때문이다. _Y

오늘은 너무 슬프다. 왜냐하면 내가 어릴 때부터 있었고 아주 많이 갔던 빵나무 카페가 오늘까지만 한다. 너무 마음이 무겁다. 엄청 좋았었는데 너무 안타깝다. 근데 무슨 개인 사정 때문에 문을 그러는 걸까? 장사도 잘되는데 무슨 일이 있는 걸까? 너무 궁금하다. 그래서 오늘 빵나무에서 파는 물건들 사고 추억 생각 좀 해야겠다. 어쨌든 사장님과 나는 연결되어 있으니깐 신경쓰지 말자. _E

어재 분명히 빵나무가 없어진다고 했는데 놀랍게도 지금까지 짐이 옮겨져 있지 않았다. 어쩌면 그냥 할지도 모른다. 혹시 그냥 열까?

아직은 지켜봐야 할 것 같다. 제발 그냥 열어줘! _E

드라마

난 드라마나 소설을볼 때 현실적인 결말이 좋다. 왜냐하면

드라마나 소설은 대부분 해피엔딩으로 끝나기 때문이다. 그래서

난 좀 더 실감나는 엔딩이 좋아서 현실적인 엔딩이 좋다. _A

드라마나 영화또는 소설을볼때는 행복한결말보다는현실적인게

더좋다 왜냐하면 행복한결말은너무 뻔해서 재미가없고

현실적인결말이 더 재미있다 현실적인 결말은 뻔해서 행복한

것보다는 재미있다 _L

시험

오늘은 과학시험인데 잘 할 수 있을지 모르겠다. 그래도

어제 최대한 외워서 다행이다. 그리고 외우기만 하면 돼서

다행이다. 제발 오늘 잘하면 좋겠다.

왜냐하면 수행평가이기 때문이다. _B

오늘 나의 감정은 '신나다' 이다. 예전에 본 과학수행평가가 100점을

맞았기 때문이다. 이번 시험은 서술형인지라 조금 어려웠는데 전날

열심히 공부해서 100점 맞은 거 같다. 내일은 리코더 시험이 있는데

과연 잘 할 수 있을지 궁금하다. _J

어제 영어학원에서 큰 시험을 봤는데

85점이 커트라인 인데 95점을 맞아 합격했다.

5달 동안 준비했는데 성공해서 기분이 좋고 뿌듯했다. _K

만약 아무도 없는 교실에서 시험 답안지를 발견한다면 나는

보지 않을 거다. 정정당당하지 않고 걸리면 혼날 것 같다.

베끼는 시간에 공부를 하면 100점 을 맞을 수도 있지

않을까? _m

온통

온통 뭐먹지

이민형

아침에 한 번
점심에 한 번
저녁에 한 번

내 머릿 속에는
언제나
뭐먹지가 돌아다녀

언제나 중간에는 고기가 있어
그 옆에는 치킨과 곱창이 있지

나는 뭐먹지라는 생각을 하는 것이 좋아
내 머릿속은 온통 뭐먹지야

온통 컴퓨터

김시헌

내 머릿 속에는 컴퓨터 밖에 없어
컴퓨터로는 모든걸 할 수 있어
학교에서도
학원에서도
컴퓨터를 하고 싶어

난 컴퓨터가 좋아

컴퓨터를 매일 할 수 있다면
밥을 안 먹을 수도 있을 것 같아
컴퓨터를 하면 하늘을 나는 것 같아

온통 줄넘기

박서영

학교 체육관에는 줄넘기가 있어

운동장에도
지하에도
줄넘기가 있어

일반 줄넘기는 내꺼야
내일은 꼭 구슬 줄넘기로 할거야

난 친구 줄넘기가 좋아
친구 줄넘기를 잡으면
쌩 쌩 쌩
내가 마치 국가대표가 된 것 같아

어떤 마음으로 줄넘기를 하는 지 묻지마
내 마음은 매일 쌩쌩해

온통 쇼핑

이예서

내 마음 속에서는 매일 쇼핑을 해

오늘은
백화점에서 옷을 쇼핑하고

내일은
연남동 소품샵에서 쇼핑을 해

그 다음 날은
미술 용품을 쇼핑할거야

나는 쇼핑이 너~무 좋아

쇼핑 시작부터
집에서 언박싱을 할 때까지
난 매~일 쇼핑을 할거야!

온통 춤

이재인

내 몸에는 깃털이 날아다녀

커스틴도
바다도
나와 함께 춤을 춰

오늘은 랜플댄
내일은 틱톡랜플댄

난 춤이 좋아
음악의 시작부터 끝까지

매일 무슨 노래의 춤을 추냐고 묻지마
내 꿈에는 매일 무대가 열려

온통 마음 우주

신서희

내 상상 속에는 큰 우주 마을이 있어

사랑 행성도
가족 행성도
1반 행성도 있어

행성은 보통 내가 조정해
가끔은 우리 엄마가 조정해
또 가끔은 선생님이

난 행성이 좋아
사랑 행성도
가족 행성도
다 좋아

내일은 누가 조정할지 묻지 마
누가 조정할지 모르니까

온통 강아지

전현서

내 머리에는 강아지가 살아

잠잘때도
일어날 때도
혼날 때도

생각에는 언제나
강아지가 있어

포메도 불독도
난 강아지가 좋아

강아지를 보는 것도
강아지를 생각하는 것도

힘들게 하루를 보내고 집에 오면
반갑게 인사하는 강아지를 보면
울상이던 내 얼굴이
웃음꽃이 돼

온통 체육

심지유

내 마음 속에는 체육관이 있어

학교에서도
잘 때도
밥을 먹을 때도
언제나 체육을 생각해

축구도 하고
꼬리잡기도 하고
오늘은 야구를
내일은 피구를 할거야

난 체육이 좋아
체육을 하는 것도
구경하는 것도
가르쳐 주는 것도

매일 무슨 운동을 하냐고 묻지마
내 마음 속에는 매일 재밌는 체육을 해

온통 악기

유준희

내 마음에는 항상 음악회가 열려

바이올린도
피아노도
드럼도
첼로도
모두 제 각각의 아름다운 소리를 내지

아름다운 음악 소리
나를 기쁘게 만드는 것 같아
나를 슬프게 만드는 것 같아
음악의 느낌마다 나의 기분을 다르게 해

내 꿈이 무엇이냐고 묻지마
내 마음엔 항상 음악회가 열려

온통 과학실

정우재

내 마음 속에서는 언제나 과학실 있어

선생님도
친구들도 없는
나의 과학실에서 언제나 탐구를 해

모든 자리가 다 나의 실험 의자야
오늘 탐구하고 알아내면
내일은 더 나아지겠지

난 과학이 좋아
긴장감이 도는 실험 시작
더 알아내고 싶은 실험을 할 때
뭔가 아쉬운 느낌이 드는 실험이 끝난 뒤

나에게 과학이 뭐냐고 묻지마
내 마음 속에는
언제나 살아 숨쉬는 과학이 있으니까

온통 소설책

윤사랑

내 마음 속은 매일 소설책으로 가득해

내 가방 속에도
내 방 책장에도
소설책이 있어

주인공은 누구일까
읽을 때마다 궁금해져

그저께는 마녀와 강아지
어제는 명탐정
오늘은 평범한 여자 고등학생이야
내일은 또 누굴지 궁금해져

나는 소설책이 좋아
소설책을 읽는 것도
소설책을 생각하는 것도
소설책을 사는 것도

왜 소설책을 읽냐고 묻지마
내 마음 속에는 매일 소설 같은 일들이 가득해